MARCO ANTÔNIO SANTOS REIS

# BRINCANDO COM JESUS

DIREÇÃO EDITORIAL:
PE. MARCELO C. ARAÚJO

TEXTO:
MARCO ANTÔNIO SANTOS REIS

PROJETO GRÁFICO, ILUSTRAÇÕES E CAPA:
JUNIOR DOS SANTOS

COORDENAÇÃO EDITORIAL:
ANA LÚCIA DE CASTRO LEITE

1ª EDIÇÃO: 1993
ISBN 85-7200-155-7

22ª IMPRESSÃO

Todos os direitos reservados à EDITORA SANTUÁRIO – 2023

Rua Pe. Claro Monteiro, 342 – 12570-045 – Aparecida-SP
Tel.: 12 3104-2000 – Televendas: 0800 - 016 00 04
www.editorasantuario.com.br
vendas@editorasantuario.com.br

# ESTE LIVRO É MEU!

_____

_____

_____

_____

_____

Brincar é muito bom.
Brincar com JESUS
é muito melhor!
Além de ele ser muito forte,
muito grande
e muito bom,
ele se preocupa
com a gente.
Ele protege a gente.
Mais importante:
ele gosta
das crianças.
Ele mesmo falou:
— Deixai vir a mim
as criancinhas ...
Então, o que estamos
esperando?
Vamos brincar com JESUS!

**M**EU **JESUS**,
MINHA BONECA ATÉ FALA,
MAS NÃO PENSA, COMO EU.
AGORA QUE ESTAMOS BRINCANDO
ESTOU TRISTE, **JESUS**,
POR CAUSA DE TANTAS AMIGUINHAS
QUE NÃO TÊM
NEM UMA SIMPLES BONECA.
VAMOS COMBINAR
UMA COISA, **JESUS**?
EU VOU SER BEM
BOAZINHA E O SENHOR
VAI AJUDAR AS
CRIANÇAS A TER SUA
BONECA, BEM BONITA.
OBRIGADA, MEU **JESUS**!

**MEU JESUS,**
QUANDO DEI UM CHUTE NAQUELA BOLA, ELA SUBIU BEM ALTO, FOI PARAR LÁ NO MEIO DA RUA. SAIU TODO MUNDO CORRENDO ATRÁS! SORTE QUE O SENHOR ESTAVA JOGANDO BOLA COMIGO. SABE, EU NÃO VI AQUELE CARRO QUE VINHA VINDO E QUASE BATEU EM MIM. QUE SUSTO! EU SEI QUE FOI O SENHOR QUE AJUDOU O DONO DO CARRO A DESVIAR BEM NA HORINHA... OBRIGADO, MEU **JESUS**. PROMETO QUE VOU TOMAR MAIS CUIDADO.

**M**EU JESUS,
O SENHOR SABE ANDAR DE BICICLETA?
EU SEI! O SENHOR QUER QUE EU LHE ENSINE?
É FÁCIL. É SÓ TER EQUILÍBRIO.
AH!, O SENHOR ESTÁ RINDO?
MUITO BEM. EU SEI QUE O MEU EQUILÍBRIO, NA BICICLETA E NA VIDA, FOI O SENHOR QUEM DEU.
AGORA, O SENHOR ME DÁ UM EMPURRÃOZINHO?

Meu Jesus, sente-se aqui.
Pode apertar este botão.
Ele não dá choque, não.
A gente olha na telinha,
e vai tentando ganhar
o jogo da máquina. É fácil,
para quem sabe.
É fácil para o Senhor
que permitiu aos homens
inventar esses jogos
que parecem coisas
de louco.
Aperte o botão, Jesus.
Ajude-me a ganhar o jogo.
Ajude-me
a ganhar o jogo da vida.

**MEU JESUS,**
TENTE ACERTAR A BOLINHA
NAQUELE BURACO
QUE FIZEMOS NO CHÃO.
TENTE. O SENHOR CONSEGUE.
DEPOIS JOGUE A BOLINHA NO
OUTRO, E NO OUTRO,
E NO OUTRO.
ACERTE AS BOLINHAS
DE VIDRO DOS QUE
NÃO QUEREM NOS
DEIXAR VENCER.
COM SUA AJUDA,
MEU **JESUS**,
NÓS GANHAREMOS.
ACERTE,
MEU **JESUS**.

PULE, *JESUS!*
ENSINE-ME
A IR PULANDO AS CASAS DA VIDA,
AJUDE-ME A CHEGAR AO CÉU.
NO CÉU ONDE O SENHOR ESTÁ.
PULE, *JESUS!*

**M**EU JESUS,
O SENHOR GOSTA DE VÔLEI?
É UM JOGO MUITO GOSTOSO.
CUIDADO COM A REDE NO MEIO.
É PRECISO TOCAR NA BOLA
SÓ TRÊS VEZES E TENTAR DERRUBÁ-LA
DO OUTRO LADO.

DEPOIS É A VEZ DO SENHOR.
LOGO DEPOIS DE MIM,
BEM PERTINHO.
SABE, **JESUS**, ASSIM EU TENHO
CERTEZA QUE NÃO ME MACHUCAREI
NO ESCORREGADOR,
NEM NAS ESCORREGADAS DA VIDA.

Meu Jesus,
como é bonito olhar essa água
transparente, ver, lá embaixo,
os quadradinhos azuis dos ladrilhos.
Mergulhar na água fria
e refrescar o calor.

**MEU JESUS,**
SENTE-SE AQUI NA AREIA COMIGO.
VAMOS DESCANSAR UM POUCO.
ESSAS ONDAS DO MAR, TÃO ALTAS,
INDO E VINDO,
COM TODO ESSE BARULHÃO,
CANSAM UM POUCO A GENTE.
TEM HORA QUE É MAIS DIVERTIDO
OUVIR AS ONDAS
DE DENTRO DE UM CARAMUJO.
TEM HORA QUE É PRECISO SOSSEGO.
FIQUE AQUI COMIGO, SENHOR,
NO DESCANSO E NA HORA
DE ENFRENTAR AS ONDAS.

EU AVISO A HORA.
ASSIM, MESMO ME ESCONDENDO,
FICO JUNTO DO SENHOR.
ASSIM, MESMO ME ESCONDENDO,
O SENHOR VAI FICAR SEMPRE
COMIGO.

PISA DE LADO E VIRA DE UMA VEZ,
BEM DEPRESSA.
VENHA, **JESUS**, EU LHE DOU UMA CARONA.
EM TROCA, O SENHOR NÃO ME DEIXA
CAIR!

**M**EU JESUS,
AGORA O SENHOR
VAI FICAR SÓ OLHANDO.
VAMOS BRINCAR DE CABRA-CEGA.
A GENTE TAPA OS OLHOS COM UM PANO
E SAI PROCURANDO OS OUTROS.

Meu Jesus, brincar de pega-pega é muito gostoso. Venha brincar também. O pegador vai mudando. O pegador fica sendo aquele que for pego.

**M**EU JESUS,
AGORA É PRECISO TER CUIDADO.
BRINCAR DE QUEIMADA É DIVERTIDO,
MAS TEM DE PRESTAR ATENÇÃO.
QUANDO ELES JOGAREM A BOLA,
O SENHOR DESVIA.

ÀS VEZES, ELES JOGAM COM FORÇA.
QUANDO O SENHOR PEGAR A BOLA,
JOGUE LOGO PARA MIM.
DEIXE-ME QUEIMAR QUEM TENTAR
ACERTAR O SENHOR.

**M**EU JESUS,
QUANDO O VENTO ESTÁ BOM,
O SENHOR VAI SOLTANDO
A LINHA DA PIPA.
PODE DAR UNS TOQUINHOS NA LINHA,
PARA AJUDAR A PIPA SUBIR MAIS.
ANTES DE COMEÇAR A BRINCAR
É PRECISO ESCOLHER UM LUGAR
SEM FIOS ELÉTRICOS.
PODE SER MUITO PERIGOSO.
SOLTE, **JESUS**,
MEU VENTO BOM.
SOLTE A LINHA DA PIPA.
SOLTE A LINHA
DA MINHA VIDA.

**Meu Jesus,**
VAMOS BRINCAR DE PULAR SELA.
PODE FICAR SOSSEGADO.
NÃO TEM NADA A VER COM CAVALOS.
A GENTE SE ABAIXA, OUTRO VEM E
SALTA POR CIMA DA GENTE.

É SÓ UM FAZ DE CONTA.
VENHA, MEU *JESUS*.
NA SUA VEZ DE PULAR
VOU ME ABAIXAR BASTANTE, PARA O
SENHOR NÃO TER TRABALHO QUANDO
PASSAR POR MIM.

Meu Jesus, como o Senhor joga tão alto essa peteca! Eu também quero jogar assim, bem alto!
Espalmar a mão e tocar com bastante força. Quero conseguir subir...
Subir...
Igualzinho à peteca que o Senhor jogou alto, bem alto!

Meu Jesus, sente-se aqui.
Vamos fazer de conta
que guiamos o caminhão.
A gente vai empurrando
pra lá e pra cá.
O barulho do motor
a gente faz com a boca.
Vrum...
Vrum...

VENHA, MEU *JESUS*. QUERO VIAJAR COM O SENHOR.

**Meu Jesus**, o senhor fique aí.
Daqui pra lá é a sala.
Eu fico aqui na cozinha.
Vou fazer uma comidinha bem gostosa pro senhor.
O senhor vai comer bastante e depois vai descansar enquanto eu arrumo a casa.
Quero que minha casa esteja sempre pronta, arrumadinha para o senhor morar.

Meu Jesus,
agora vamos prestar atenção.
Vai começar a aula.
Vamos aprender a fazer contas.
Vamos escrever e fazer contos.
Quando a gente aprender

BASTANTE, A GENTE VAI ENSINAR
QUEM NÃO SABE.
ASSIM, UM DIA, TODO MUNDO
VAI SABER IGUAL.
VAI FICAR MAIS FÁCIL
A GENTE SER IGUAL.

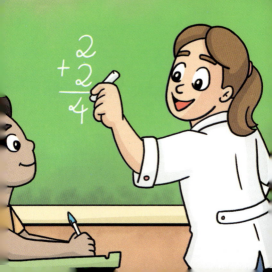

**Meu Jesus,**
vamos brincar de índio?
A gente pinta o rosto,
põe pena na cabeça,
pega o arco e a flecha
e sai dançando e gritando
ú, ú, ú...

**M**EU JESUS,
EU SEI QUE DESSA BRINCADEIRA
O SENHOR NÃO GOSTA MUITO.
MAS NÓS VAMOS BRINCAR
DE MOCINHO E BANDIDO.
VOU USAR MINHA PISTOLA DE RAIOS,
MAS NÃO VOU MACHUCAR
NINGUÉM.

**M**EU JESUS,
SUBA AÍ DESSE LADO.
NÓS SENTAMOS DO LADO DE CÁ.
VAMOS SENTAR OS DOIS,
PORQUE O SENHOR É MUITO GRANDE.
AGORA VAMOS BRINCAR
NESSA GANGORRA.
PRA CIMA,
PRA BAIXO.

QUE NEM NA VIDA,
TEM DIA QUE A GENTE SOBE,
TEM DIA QUE A GENTE DESCE,
MAS O SENHOR AJUDA A GENTE A
SUBIR OUTRA VEZ.

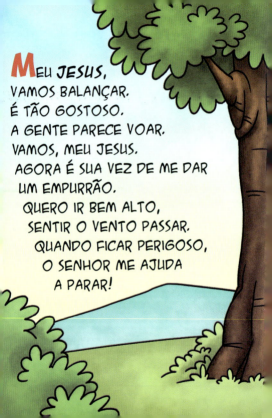